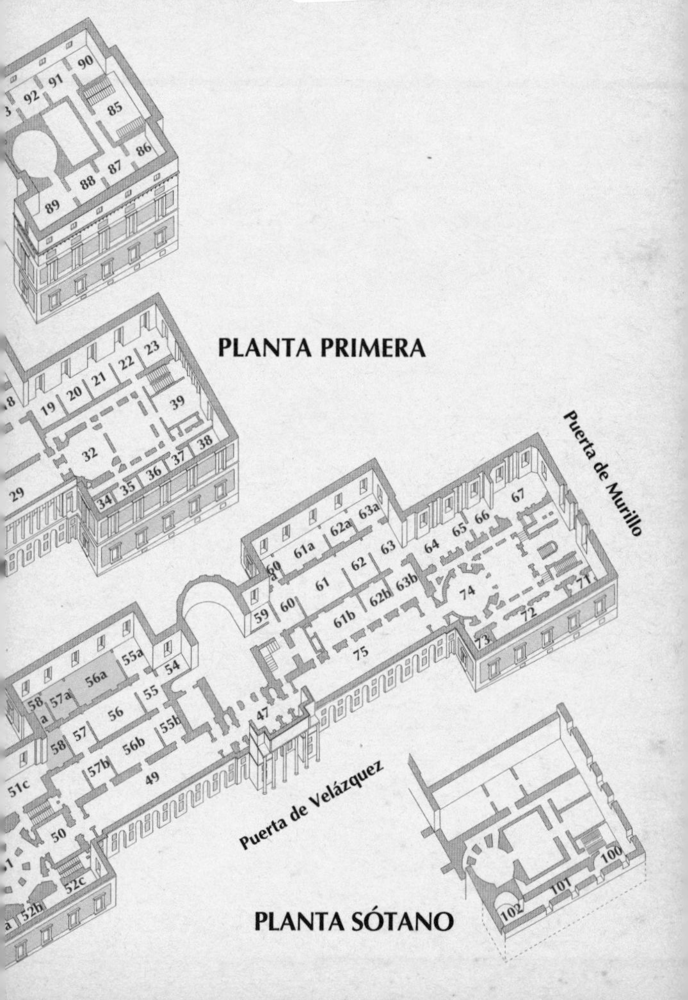
90
91
92
85
86
87
88
89
PLANTA PRIMERA
23
22
21
20
19
39
32
38
37
36
35
34
29
Puerta de Murillo
67
66
65
64
63a
62a
61a
60
63
62
61
63b
62b
61b
74
71
72
73
59
75
55a
54
56a
57a
58
55
56
57
55b
56b
57b
47
49
51c
50
52c
52b
Puerta de Velázquez
100
101
102
PLANTA SÓTANO

Tercera edición: 2002

Diseño de interior y cubierta: Ángel Uriarte
Axonometrías: Ana Pazó Espinosa
Edición: Carmen Ponce de León y Manuel Florentín
Maquetación: Antonio Martín

ISBN: 84-95452-02-2
Depósito legal: M-8.360-2002
Impreso en Closas-Orcoyen, S.L. Paracuellos de Jarama (Madrid)
Printed in Spain

Joaquín Yarza Luaces

El Bosco

y la pintura flamenca del siglo XV

Fundación Amigos del Museo del Prado

Plano del Museo del Prado

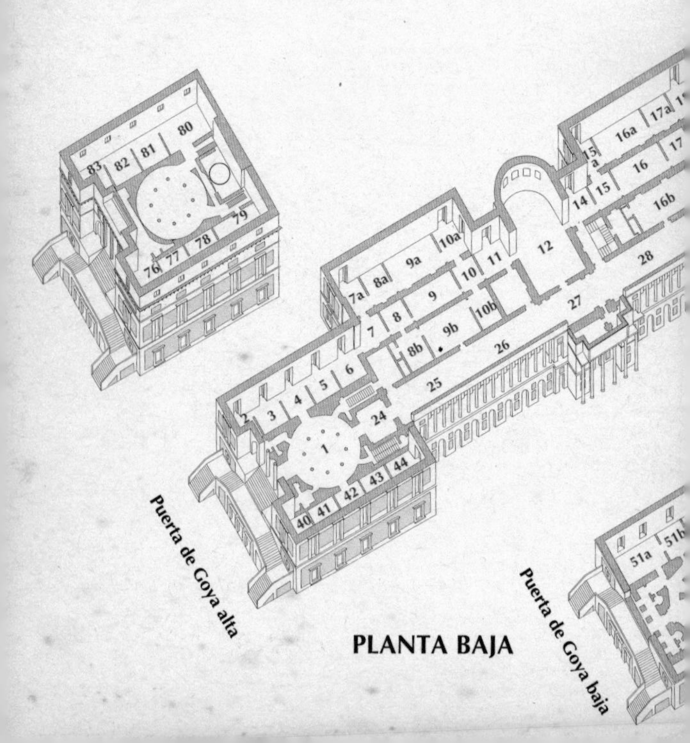

Introducción

Con frecuencia se utiliza al referirse a la pintura de los Países Bajos en el siglo XV la frase de "Primitivos flamencos". Se trata de un desafortunado apelativo. Atendiendo al significado de la palabra "primitivo" sabemos que sobre todo indica lo que está al comienzo, en el origen. Al tratarse de algo que se expresa por primera vez, también con frecuencia contiene un matiz peyorativo, porque se entiende que todavía no ha alcanzado plenitud, que es torpe, ingenuo, etc. En realidad por ahí iban las cosas cuando se bautizó así a esta escuela pictórica. El punto de referencia era el Renacimiento y la Edad Media se seguía creyendo que era una época de tinieblas. De ella, se suponía, emergían los encantadores artistas sobre tabla que han descubierto la pintura al óleo, poseen buen oficio, pero están lejos de alcanzar la perfección, el conocimiento de la perspectiva, etc., que se exige a un renacentista italiano. Desde luego, nada más lejos de la realidad. Cuando nace esta espléndida escuela, la pintura de los Países Bajos tiene tras de sí una larga historia, con momentos tan excelentes como los que corresponden al románico (en miniatura) y al gótico internacional.

Por otro lado, seguimos usando el término "flamenco". Pero Flandes sólo constituye una parte de los Países Bajos, donde están las importantes ciudades de Brujas y Gante. Brabante no es Flandes, y allí se encuentran Amberes y Bruselas, incluso s'Hertogenbosch, la ciudad donde nace y vive El Bosco. Robert Campin y Weyden proceden del Hainaut. En definitiva, se toma la parte por el todo y lo más justo sería recalificar este arte como el propio de los Países Bajos. Sin embargo, el término "flamenco" empleado para todo ello, justo es decirlo, se usaba ya en el siglo XVI en España y otros lugares, por lo que sería prácticamente imposible sustituirlo. Eso sí, se ha de recordar lo que supone en origen cuando lo utilizamos.

Durante el siglo XV en los Países Bajos se darán unas circunstancias favorables concretas que colaborarán a la creación de una importante escuela de pintura. Es un país en principio dividido, pero que poco a poco cae en manos de los duques de Borgoña. Posee una alta densidad de población, de las más altas de la Europa de entonces, con una concentración urbana también superior a la media europea, donde son varias las ciudades destacadas, como Brujas, Gante, Amsterdam,

Tournai y Bruselas, ricas, con comerciantes importantes y numerosos menestrales dedicados a diversos oficios. Desde que hereda el ducado Felipe el Bueno, tras la muerte violenta de su padre, Juan Sin Miedo, la capitalidad se traslada desde Dijon, en Borgoña, a las ciudades de los Países Bajos, con lo que esto significa. Por otra parte, ya desde 1380 aproximadamente era claro, para cualquiera que lo analizara, que existían bastantes artistas (pintores, miniaturistas, escultores) que no sólo trabajan en su país, sino que buscaban además los grandes centros europeos nórdicos, París y Dijon, para instalarse en ellos. Pero desde que la primera queda en poder de los ingleses en la larga Guerra de los Cien Años, deja de ser la gran capital artística que había sido hasta entonces, y algo semejante sucede con la otra al abandonarla los duques en cierta medida como residencia en favor de las villas del norte. Así que quienes antes emigraban, ahora se quedan y trabajan para ellos, su corte, la burguesía de las ciudades o los grandes comerciantes europeos, singularmente italianos y españoles, que aprecian cada vez más su arte.

Es en este momento cuando en Tournai reside Robert Campin y, casi al mismo tiempo, en Gante, Humberto van Eyck. Un poco después aparece Jan van Eyck, hermano del anterior y más joven que él. Son seguramente los que revolucionan la pintura, perfeccionando el uso del óleo con importantes consecuencias sobre el resultado final, usando colores de gran calidad, obteniendo extraordinarios efectos con las veladuras, etc. Se trata de un avance técnico y artesanal que nada tiene que ver con el carácter intelectual y reflexivo de lo que al tiempo se hace en Toscana. No hay vuelta a la Antigüedad como modelo, ni se pone en cuestión el concepto artesanal del oficio. Se sigue trabajando con parámetros tardomedievales. Cierto es que Jan van Eyck tendrá clara conciencia de quién es y firmará sus obras casi siempre, como no sucede con ningún otro pintor europeo contemporáneo, incluyendo los toscanos. Hará un arte muy conceptual, cargado de signos y símbolos, a veces ocultos tras una apariencia de sencillez cotidiana. Aunque su cliente principal fue Felipe el Bueno y las personas afectas a él, trabajó para otros muchos, entre ellos los comerciantes italianos que tenían casa en Brujas, la ciudad que le sirvió durante más tiempo de residencia. Ha sido uno de los más grandes retratistas de todos los tiempos, destacando su realismo sin concesiones, la objetividad con que contempla a sus modelos y los elementos simbólicos que los rodean. Sus obras se encuentran dispersas por los grandes museos, pero el Prado no posee más que una que puede tener alguna relación con él, *La Fuente de la Gracia*.

Durante mucho tiempo se bautizó como Maestro de Flémalle a un artista que parecía contemporáneo de los van Eyck y tenía estrecha relación con Roger van der Weyden. Por fin se le identificó, con dudas nunca resueltas, con Robert Campin, pintor de Tournai, maestro de Weyden, de mayor edad que Jan van Eyck, pero que le sobrevivió. No todos están de acuerdo con la identificación y algunos siguen manteniendo el apelativo de anónimo para sus obras, sobre todo porque en ellas ven relación con el medio bruselés, más que con el de Tournai. Trabajó con preferencia, no para los grandes, sino para la burguesía de su ciudad. En ella estuvo integrado, no sólo como pintor, sino interviniendo en la vida pública, lo que acabó por suponerle no pocos sinsabores. El Prado conserva hasta cuatro obras suyas (tres de ellas que parecen indudables), comprendiendo además los primeros años de su vida y su madurez, donde se hace eco de lo que ya pudo contemplar en quienes eran más jóvenes que él (Eyck y Weyden).

En la siguiente generación, Petrus Christus va a residir en Brujas, constituyéndose en continuador de van Eyck. El Prado posee una encantadora *Virgen con el Niño*. Tournai pierde importancia al trasladarse su mejor pintor, Roger van der Weyden, a Bruselas, aunque siga actuando el más fiel seguidor de Robert Campin, Jacques Daret, de escaso catálogo y no representado en el museo del Prado. Esta ciudad va convirtiéndose en un centro destacado a medida que transcurre el tiempo, aunque Brujas sigue centrando el comercio internacional. Weyden obtiene un puesto que será apreciado a partir de él: pintor oficial de la villa. Si van Eyck es autor de un arte simbólico, complejo, intelectual, él lo hará más directo, expresivo, emocional. Algunas de sus composiciones y figuras se convierten en prototipos que circularán primero por los Países Bajos y más tarde por parte de Europa occidental. También fue apreciado en España, y en Castilla ya en los años cuarenta el rey Juan II poseía un importante trabajo suyo *(Tríptico Miraflores).* En el Prado puede verse la que muchos consideran su obra maestra y una de las importantes de la pintura europea, el *Descendimiento.* A su muerte le sucede en el cargo Vrancke van der Stockt, artista poco conocido hasta ahora, al atribuirse erróneamente al propio Weyden alguna de sus obras, signo de su calidad. Resulta aún de mayor interés, si tenemos en cuenta que tuvo como competidor a Pieter van der Weyden, hijo de Roger y heredero de su taller, pintor nada desdeñable si es correcta la identificación que suele hacerse con un anónimo maestro. Procedente del norte, Bouts se establece en Lovaina, donde obtendrá un estatus comparable al de Weyden en Bruselas. La villa es de menor población que las otras, pero destaca como centro universitario y centro comercial. El *Tríptico de la Sagrada Cena* de la catedral de San Pedro de Lovaina y las pinturas para el Ayuntamiento están entre sus grandes obras, destacando igualmente el temprano *Políptico de la Infancia de Cristo* del Prado.

Tal vez sea Gante la ciudad con mayor población por ese entonces. También es un foco artístico notable. Pero el Prado no posee nada que proceda de los artistas que allí trabajaron: ni del huidizo Justo de Gante, aún mal conocido y recientemente revisado, ni del interesante e inquietante Hugo van der Goes.

En el último tercio de siglo se van multiplicando los centros productores y el número de pintores que trabajan en ellos. No existe un avance respecto al arte de los grandes maestros iniciales (van Eyck, Campin, Weyden), que se consideran modelos a tener en cuenta e, incluso, a imitar. Quizás quepa hablar de ciertos cambios en el concepto de paisaje. No porque se obtengan efectos más espectaculares y ámbitos más amplios con medios en buena medida intuitivos, como sucedía con Eyck, sino porque se introduce la idea de la luz que cambia con la época del año y con las horas del día. Memling es el artista más popular entonces y ha elegido Brujas como lugar de residencia, pese a que se comienzan a manifestar en ella signos cada vez más alarmantes de crisis económica. Su arte es fácil, amable, de tonos claros, escasamente dramático, muy atractivo, pero poco original. Su producción, la más extensa entre los maestros flamencos del siglo XV. Trabajó en varias ocasiones para el hospital de San Juan, convertido hoy en su museo principal. Era de origen germánico.

Es en el cambio de siglo cuando los artistas comienzan a percibir los ecos de ese Renacimiento que de florentino ha pasado a ser toscano y en estos momentos ya se puede decir que es italiano. Hasta ahora algunos han viajado por Italia (Weyden), pero han resultado poco permeables a lo que ven, mientras que los clientes italianos y algunos pintores se han dejado deslumbrar por el extraordinario oficio de que hacían gala. Otras cosas han cambiado. Con la muerte de Carlos el Temerario, el ducado de Borgoña ha desaparecido y los Países Bajos pertenecen al Imperio centroeuropeo, al haberse casado la hija de aquel, María de Borgoña, con el emperador Maximiliano I. Poco después, el matrimonio de dos hijos de éste con otros dos de los Reyes Católicos acrecienta la presencia de los castellanos en los Países Bajos. Aparte del efecto que esto tiene en la pintura hispana, también tiene otros sobre el mundo nórdico. Ya durante el gobierno del emperador Carlos V se manifiesta en algunos círculos escogidos una clara postura ante la reforma luterana, con focos que le son favorables. Existe una clase intelectual que protagoniza un humanismo nórdico con claras diferencias respecto al italiano y cuyo representante más eximio es Erasmo de Rotterdam. Tampoco ha sido uniforme el desarrollo de las ciudades de acuerdo con lo que podía ser previsible en la primera mitad del siglo XV. Amberes y Bruselas son ahora los centros urbanos con mayor peso específico, en todos los terrenos, incluyendo el político, pero asimismo en el artístico. Esto es claramente perceptible en la escultura o en la tapicería, que después de tener su centro en Arras, y luego en Tournai, acaba siendo una producción casi en exclusiva bruselesa.

La aceptación del Renacimiento no se hace sin reticencias. La importancia del pasado inmediato lastra los cambios. Comienza a considerarse conveniente el viaje a Italia, bien con medios propios, bien formando parte del séquito de algún gran personaje. Otras veces, sin hacer el viaje se llega a tener conocimiento de lo que allí se está gestando a partir del asentamiento o residencia temporal en la ciudad de algún pintor italiano (Solario, Vincidor), o por la entrada de pinturas, tapices o dibujos de esa procedencia. De todas maneras, artistas que en sus dibujos y apuntes de Roma se muestran más decididamente receptivos, continúan en su pintura siendo en parte fieles a la propia y rica tradición, lo que no debe entenderse como signo negativo, ya que se trata de algo aún vivo y con capacidad de creación. Otros, protagonistas del cambio, no renuncian, sin embargo, al buen oficio, al gusto por el detalle, al realismo en los retratos o al paisaje que se constituye en protagonista en muchas ocasiones.
Gerard David, que vive aún en los dos primeros decenios del siglo XVI en Brujas, pertenece en lo esencial a la tradición del siglo XV. Estamos ante un artista de gran éxito y del que conservamos un amplio catálogo de obras. El Prado posee un original indudable *(Descanso en la huida a Egipto)* y dos Vírgenes dudosas. El extraordinario Jerónimo Bosco posee una personalidad excepcional, pero su concepción del mundo es muy medieval y en su técnica sigue viviendo la gloriosa tradición flamenca.

Gozó en vida de una notable fama en el ámbito de los Países Bajos, teniendo como clientes a los personajes más influyentes del momento (Felipe el Hermoso, Margarita de Austria, Nassau), e incluso llegó a ser apreciado en la lejana Venecia, donde se conservan algunas pinturas suyas muy singulares. La estima en que le tuvieron los Guevara y, en especial, Felipe II, ha hecho que el Prado posea la mejor colección del mundo de quien se ha conservado una obra relativamente corta. Sobre todo *El Jardín de las Delicias* y *La Epifanía,* ambos trípticos de grandes dimensiones, son dos piezas magistrales, sin que ello haga que desmerezcan *Los Pecados Capitales* o *El Carro del Heno.*

Sala 58 (LVIII)

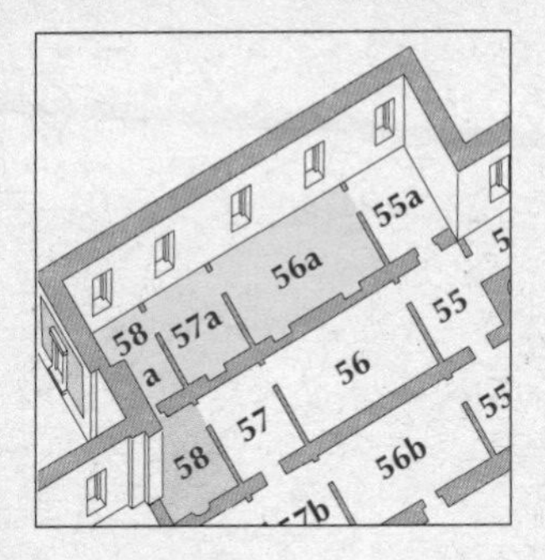

PETRUS CHRISTUS
La Virgen y el Niño

DIERICK O THIERRY BOUTS
Políptico:
Anunciación, Visitación, Adoración del Niño, Epifanía

ALBERT BOUTS (?)
Cabeza de Cristo

ROGER VAN DER WEYDEN
Descendimiento

ROBERT CAMPIN
Anunciación

ROBERT CAMPIN
San Juan Bautista y Enrique de Werl

Santa Bárbara

ROBERT CAMPIN
Desposorios de la Virgen

PETRUS CHRISTUS
La Virgen y el Niño
(N.° cat. 1921)

A la sombra de su antecesor en Brujas, Jan van Eyck, considerado también su maestro indirecto, Christus es un artista mal conocido. Sin embargo, su obra, relativamente reducida, está siendo revalorizada en los últimos años. No cabe duda de que en diversos puntos depende de aquél, pero posee también una personalidad interesante y un excelente oficio. Llega a Brujas pocos años después de la muerte de van Eyck y aquí será pintor destacado hasta su muerte. La pequeña tabla del Prado proviene de un convento de Piedrahíta (Ávila) y se supone de una etapa media de su vida (h. 1460-1465). Se trata de una Virgen entronizada, a punto de ser coronada por un ángel como "Regina Cœli". El Niño está desnudo como muestra de su humanidad, pero porta el globo del mundo en una mano. Se ha sugerido la posibilidad de que el tipo derive de un original desaparecido de Weyden. Es muy bello el paisaje del fondo, pero en la construcción perspectiva el artista comete un error inexplicable: el muro que se ve tras la parte derecha del arco central corresponde a una casa, que, sin embargo, no tiene continuidad material, según se ve en la abertura al exterior del arco más a la derecha.

DIERICK O THIERRY BOUTS. Políptico:
Anunciación, Visitación, Adoración del Niño, Epifanía
(N.° cat. 1461)

Parece ser que Bouts procedía de Haarlem, en el norte de los Países Bajos, hoy Holanda, pero que se estableció en Lovaina, donde alcanzó a ser el pintor oficial de la ciudad en los últimos años de su vida (1468-1475). Mantuvo casa en Haarlem durante un tiempo indeterminado, según consta aún en el siglo XVII. Por ello se ha creído que en ese lugar mantuvo abierto taller algunos años. El políptico del museo podría pertenecer a esta primera etapa de su actividad. Aunque el pintor posee una forma de hacer personal, con figuras solemnes, altas y rígidas, escasamente expresivas, aqui aún no manifiesto con claridad, ha sido receptivo al arte de van Eyck y de van der Weyden joven.
Precisamente en este retablo de cuatro tablas, cada escena se enmarca con una arquitectura pintada de portada con arquivolta esculpida en

grisalla cuyo origen está en Weyden, más en concreto en el *Tríptico Miraflores* (Mus. Berlín), existiendo no obstante ciertas diferencias, signo de una interpretación más que de mera copia. El ciclo se dedica a María en relación con el nacimiento de Jesús, poniendo de relieve su papel en la Redención, al contrastarlo con las imágenes de las arquivoltas, que se inician con la creación de Adán y Eva, el pecado y el castigo impuesto por Dios en la zona de la Anunciación. Así se contrapone una vez más, como acostumbra a hacerse en la Edad Media, Eva a María (Ave). En las restantes arquivoltas se despliega un amplio panorama de la Pasión y la Resurrección. En la Visitación destaca el amplio paisaje en el que

sucede, un exterior alejado del espacio urbano más cotidiano. En segundo término, a la derecha, el terreno se eleva y en el fondo se encuentra una casa trasunto de las flamencas del tiempo. A la Anunciación se corresponde en las arquivoltas ficticias, un ciclo de creación y caída, mientras Visitación y Nacimiento se relacionan con un amplio muestrario de la pasión iniciado con la entrega de Judas y finalizado con la Resurrección. Por fin, es el Cristo triunfante y sus manifestaciones al que se dedica la última parte de enmarque de la Epifanía.

La reciente limpieza a que ha sido sometido permite apreciar mejor el virtuoso oficio y la calidad del color y las veladuras.

ALBERT BOUTS (?). **Cabeza de Cristo** (N.° cat. 2698)

Dierick Bouts tuvo dos hijos que se dedicaron a la pintura. El segundo fue Albert, identificado con el excelente Maestro de la Asunción de la Virgen de Bruselas. En 1480 había llegado a la mayoría de edad, quizás un poco antes. Parece que murió en 1549, si no existe otro pintor del mismo nombre con el que se confunda, porque de no ser así tendría una vida en exceso longeva. La imagen presente obedece a un tipo iconográfico en parte difundido por su padre, pero con el que él mismo obtuvo un cierto éxito a juzgar por las copias y réplicas que aún se conservan. Ello se debe a que estamos ante una suerte de icono especialmente expresivo que tanto servía para un templo como para recibir culto en un oratorio privado.

ROGER VAN DER WEYDEN
Descendimiento (N.° cat. 2825)

Obra maestra de la historia de la pintura, pero tan sólo tabla central de un tríptico al que faltan las alas. Fue encargada para la capilla de la Cofradía de los Ballesteros en la iglesia de Nuestra Señora Extramuros de Lovaina. En el siglo XVI fue adquirida por la reina María de Hungría, pasando luego a las colecciones de Felipe II, para ingresar en 1574 en el monasterio de El Escorial, donde permaneció hasta 1939. Ha de tratarse de una obra de juventud y primera madurez del pintor, h. 1432-1435, cuando es aún muy perceptible la fuerte influencia de su maestro Robert Campin, hasta el punto de que algún estudioso ha pretendido atribuírsela a él directamente. Cuando llegó a El Escorial poseía todavía dos alas, una con los cuatro evangelistas y otra con la Resurrección, aunque ambas han desaparecido. No obstante, es posible que exista algún pequeño error en la información, porque en un tríptico de estas características la Resurrección tiene cabida, pero no se entiende la presencia de los cuatro evangelistas, cuando lo que convenía era alguna historia como la de Cristo camino del Calvario. Quizás se trate de un añadido antiguo, pero posterior.

En ninguna obra como en ésta la idea de que nos encontramos ante una escultura pintada es más evidente. El fondo es dorado, con un sombreado que parece provenir de las figuras, reforzando su sentido escultórico y el engaño óptico, mientras que en las esquinas la presencia de tracerías pintadas imitadas de las de madera dorada acrecienta tal impresión. La tremenda materialidad de cada figura, el sombreado plástico, confirman la idea de que Weyden concibió conscientemente de este modo su pintura, como sucede en algún otro caso. Las dimensiones próximas al natural no tienen consecuencia en el preciosismo de eje-

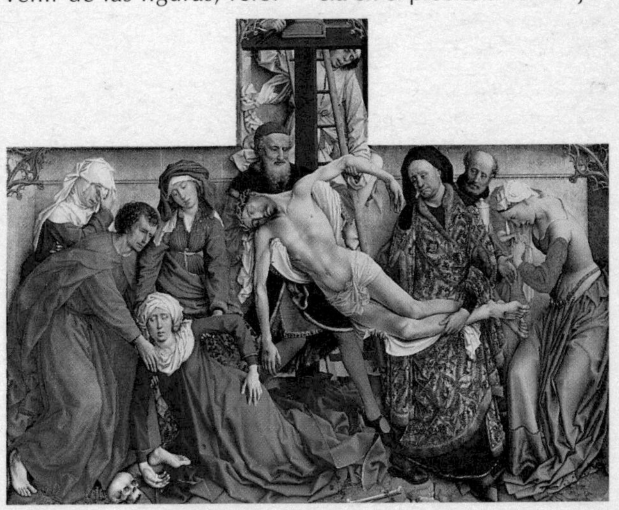

cución, donde hasta las lágrimas parecen cristales que brillan con intensidad. Las manos de Cristo y la Virgen, por su ejecución y expresividad, están entre las más emocionantes que nos haya dejado el arte flamenco. La composición cerrada, incluida en una suerte de elipse, se cuidó en sus menores detalles, como siempre se ha destacado, procurando establecer una clara relación entre forma y contenido. Por ejemplo, el cuerpo de Cristo muerto e inerte se quiebra del mismo modo que la imagen desmayada de María, incluyendo la posición de uno de sus brazos y manos, dando a entender que existe una doble Pasión, la del Hijo y la de la Madre. Cada protagonista posee una personalidad tan acusada que va a constituirse en un prototipo que se copiará infinidad de veces en obras posteriores. Así, la figura supuesta de José de Arimatea, el hombre mayor que toma a Jesús por los pies y viste con gran lujo, posee un rostro tan característico que se ha puesto en relación con un personaje histórico concreto, aunque se trata de alguien que ya había muerto cuando Weyden pintó el retablo. Junto a los protagonistas principales existe alguno secundario, como el muchacho que está sobre la escalera en la parte central, pero no se ha identificado el que trata de sobresalir por encima de la espalda de José de Arimatea, portando un pomo de ungüentos. La calavera y los huesos sobre el breve tapiz verde del suelo obedecen a la creencia de que la Crucifixión se hizo en el monte de la Calavera, motivo relacionado asimismo con el convencimiento de que Adán había sido enterrado allí y sería testigo de una redención prometida a su hijo Seth a las puertas del Paraíso, si bien este segundo significado es más dudoso.

La capacidad emotiva de la obra es otra de las razones del éxito de Weyden, menos conceptual que van Eyck y capaz de conectar con la religiosidad del cristiano medio, tanto como con personas de mayor refinamiento intelectual, aunque aquí lo manifieste de un modo efectivo pero contenido.

ROBERT CAMPIN
Anunciación (N.° cat. 1915)

Muy pocas son las obras conservadas de Robert Campin, por lo que la colección del Prado resulta excepcional. La más dudosa es la que aquí presentamos. Otras dos Anunciaciones se conservan *(Tríptico Mérode,* N.

York, y Mus. Bruselas). Recientemente se ha comprobado que el *Tríptico de Mérode* no es original en su totalidad (cuando era una de sus piezas incontestables). En la pintura del Prado no existe dibujo subyacente, lo que la convierte en sospechosa cuando menos, si es que no demuestra que se trata de una copia o algo propio del taller. No obstante, hay quien lo supone de una etapa temprana del maestro, cuando aún no ha comenzado a pintar van Eyck o Weyden ha pasado por su taller. Pero tampoco falta quien lo considera autógrafo de Daret, su discípulo, realizado cuando el maestro aún estaba en activo. En todo caso, es una pintura importante con un complemento inconográfico de figuras de "escultura arquitectónica", entre ellas, David músico, Moisés portador de las tablas, superada la ley que representan por la Encarnación, o el Padre como cosmócrator.

ROBERT CAMPIN
San Juan Bautista y Enrique de Werl
(N.° cat. 1513)
Santa Bárbara
(N.° cat. 1514)

Posiblemente formaron las alas de un tríptico del que falta la tabla central. En la zona inferior de la que estaría a la izquierda, la del Bautista, se encuentra una inscripción en la que se da la fecha (1438) y se identifica a la persona que encarga la obra, Enrique de Werl. Estamos ante una de las obras más importantes de Campin y la única fechada y de la que sabemos quién fue el promotor. La semejanza entre la imagen de Santa Bárbara y personajes femeninos de Weyden ha llevado a alguno a proponer que el Maestro de Flémalle no es Robert Campin, sino van der Weyden joven. Hoy, por el

contrario, se cree que se trata de un original donde se manifiesta la influencia del discípulo más joven y creativo sobre el maduro maestro, con capacidad receptiva todavía. De igual manera, el modo de componer el inte-

rior de la estancia donde está Enrique de Werl y la presencia del espejo que refleja lo que sucede detrás del lugar en que se sitúa el espectador, es un préstamo tomado a van Eyck.
Enrique de Werl fue Provincial de la Orden Menor de San Francisco y predicador conocido. Consta su paso por Tournai, lugar de actividad de Campin, al menos en 1435. Se trata de un retrato verosímilmente veraz, uno de los pocos que de este siglo contiene el Prado, aunque, como género independiente, el retrato flamenco tiene entonces extraordinaria importancia (Campin, van Eyck, Weyden, etc.). La Virgen en grisalla sobre el muro del fondo pertenece a la estética del "gótico internacional". El interior donde lee Santa Bárbara es propio de una casa burguesa acomodada, siendo antecedente de esas representaciones realistas a las que serán tan aficionados los pintores de los Países Bajos, pero está lleno de signos aparentemente de la vida cotidiana, y cargados sin embargo de simbolismo. Si en la tabla de Enrique de Werl se encuentra la Virgen, en la de Santa Bárbara hay un Trono de Gracia, imagen trinitaria, igualmente en grisalla sobre la chimenea. El ramo de lirios, como en la Anunciación, es un signo de pureza que alude a la doncellez de la santa. Su identificación se debe a la presencia, en el paisaje del fondo, de la construcción de una torre, aquella en la que habrá de ser encerrada.

ROBERT CAMPIN
Desposorios de la Virgen
(N.° cat. 1887)

Se supone obra temprana, inmediatamente posterior al *Tríptico Seilern* (Courtauld Institute, Londres), anterior a las influencias de los otros grandes maestros. Es de mayor calidad que la *Anunciación*. Está pintada en anverso y reverso, figurando aqui en grisalla las vigorosas imágenes de Santiago el Mayor y Santa Clara. Los *Desposorios* se componen de un modo muy particular. Por un lado, en primer término se celebra la ceremonia ante la portada de una iglesia gótica en construc-

ción. Es probable que con ello se aluda al Nuevo Testamento, a los tiempos que se avecinan con la futura llegada de Jesús, de aquí que el edificio aún se encuentre en obras. En las arquivoltas de la portada se concede una importancia capital a David, muy posiblemente porque de esta manera se destaca la genealogía real de María, que otras veces comienza en Jesé, padre del famoso rey judío. Los tipos humanos poseen esa personalidad, ese aspecto de retratos, que caracteriza la producción flamenca de las primeras generaciones de artistas. La Virgen en sus desposorios, por el contrario, presenta unos rasgos idealizados que son antecedente de lo que de inmediato o ya entonces realizaba van der Weyden. Completamente separado de esta parte, en diagonal al fondo, se ve un exótico templo de planta centralizada, totalmente acabado, donde tiene lugar la ceremonia de las varas que convertirá a José en marido de María. Se trata de un templo antiguo, rebosando de imágenes veterotestamentarias, comenzando por las vidrieras en las que se cuenta la creación y la caída de Adán y Eva. Significa la Sinagoga y el Antiguo Testamento. Incluso con otras escenas, como el sacrificio de Isaac en forma de supuesta escultura casi en grisalla, se adelanta tipológicamente el futuro de Cristo. Son procedimientos a los que recurrirá sutilmente van Eyck.

Sala 58 a (LVIII a)

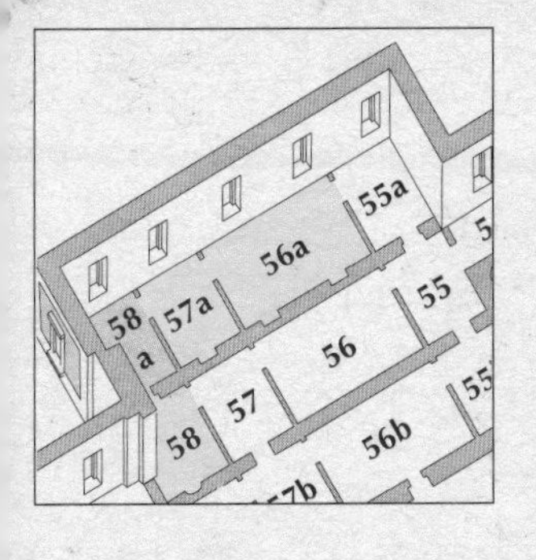

ESCUELA DE VAN EYCK
La Fuente de la Gracia

VRANCKE VAN DER STOCKT
Tríptico de la Redención

ROGER VAN DER WEYDEN
Piedad

ROGER VAN DER WEYDEN
La Virgen y el Niño

ANÓNIMO SEGUIDOR BRUJENSE
DE VAN DER WEYDEN
Crucifixión

HANS MEMLING
La Virgen y el Niño

HANS MEMLING
Tríptico:
Nacimiento, Epifanía, Presentación en el Templo

MAESTRO DE LA LEYENDA
DE SANTA CATALINA (?)
Crucifixión

ESCUELA DE VAN EYCK
La Fuente de la Gracia
(N.° cat. 1511)

Al menos otras dos copias se conservan de esta obra singular, ambas del siglo XVI y debidas a artistas españoles. Hacia 1455 ya estaba en la Península y se entrega al monasterio del Parral de Segovia, entonces en construcción. Se ha dicho que puede tratarse de una copia antigua sobre un original perdido, incluso autógrafa y de época muy temprana. Es cierto que tiene numerosos puntos de contacto con el *Políptico del Cordero* de Gante en su zona central abierta, pero difiere bastante del modo de hacer del gran maestro. La zona superior, con la Maiestas bajo microarquitectura-baldaquino, flanqueada de la Virgen y Juan Evangelista, lo tiene en cuenta. A los pies del trono está el Cordero del sacrificio y bajo él brotan las aguas vivas que van a parar a la fuente que da nombre a la pintura. El carácter eucarístico, pero también apocalíptico, es evidente. Ante estas aguas vivas dos comunidades mantienen actitudes contrapuestas. Mientras que a la izquierda (nuestra, porque es la derecha del trono, como corresponde) los estados de la Tierra se acercan a ellas con reverencia, atentos al Papa que las señala, a la derecha la Sinagoga, encabezada por el sumo sacerdote, las rechaza con expresiones de escándalo. Existe entonces un componente antijudaico evidente, ajeno u oculto en el retablo de Gante, y sin embargo muy apropiado para el ámbito castellano de entonces, en el que se desarrolla una lucha sorda contra los conversos, considerados a "priori" criptojudíos.

De hecho, las disputas públicas que se mantuvieron en diversas ocasiones ponían el acento en quién era Jesús, negado como Mesías por los judíos, que tampoco aceptaban la eucaristía redentora. El sumo sacerdote que encarna a la Sinagoga ve como su enseña se parte y el rollo de la ley cae al suelo, mientras la clásica venda en los ojos le impide ver la verdad. Para distinguirlo de los demás lleva las doce piedras en el pecho y se toca con una mitra similar a la de los obispos cristianos, signo de identidad de altos cargos religiosos de cualquier creencia en la Baja Edad Media de Francia y España, por ejemplo.

VRANCKE VAN DER STOCKT
Tríptico de la Redención
(N.os cat. 1888-89-90-91-92)

Durante mucho tiempo se identificó este gigantesco tríptico con el *Retablo de Cambrai* encargado a van der Weyden en 1454 y terminado en 1459. Pero un análisis estilístico detallado puso de manifiesto, junto a las semejanzas, las diferencias con la forma de hacer del maestro de Tournai. Se pensó entonces en Vrancke van der Stockt, que le sucedió como pintor oficial de Bruselas a su muerte en 1464. Él y el Maestro de la Leyenda de Santa Catalina, quizás su hijo Pieter van der Weyden, junto con el Maestro del Follaje Bordado, son sus seguidores más inmediatos.

El tríptico abierto presenta en el centro una Crucifixión simbólica, como la del *Tríptico de los Siete Sacramentos* de Weyden, a la entrada de una gran iglesia. Pero la lectura iconográfica debe comenzar por el ala izquierda donde se percibe la caída, con el pecado de Adán y Eva en el fondo y su expulsión del Paraíso en primer término. La

Crucifixión alude a la Redención, que permite un Juicio Final al margen del pecado original. Esto se ve en la tercera tabla. Compositivamente también, detrás se encuentra el *Juicio* de Weyden en Beaune.

La central obedece asimismo a los tipos del maestro anterior, aunque más alargados y menos perfectos en su realización técnica, y el escenario elegido es el interior de una gran catedral gótica, como en el tríptico de los Siete Sacramentos. Todo está enmarcado con las clásicas formas arquitectónicas, donde se desarrolla un amplio ciclo que completa el mensaje de la tabla principal correspondiente. Cerrado, se ven pintadas excelentes figuras en grisalla, con la historia de la moneda del César que protagonizan Jesucristo y los fariseos, sobre pedestales en los que figura en inscripción que simula talla en la piedra el mismo texto evangélico.

ROGER VAN DER WEYDEN
Piedad (N.° cat. 2540)

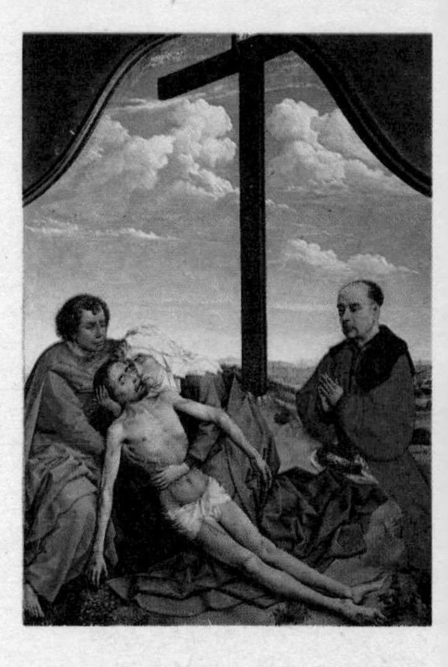

¿Original, réplica de taller o copia? Se conservan cuatro tablas con este tema y disposición. Las de Londres y Bruselas son apaisadas, y verticales la nuestra y la de Berlín. Se duda sobre cuál es el original, llegando a creer alguno que todas son copias de un prototipo de Weyden perdido. La zona central con la Piedad deriva del mismo tema tal como se expone en los trípticos de *Granada* y *Miraflores*. En alguna de estas tablas se copia incluso el donante. De la obra del Prado se ha destacado su alta calidad, pero el dibujo subyacente presenta todos los perfiles propios de una réplica o copia. Seguramente se recortó en las zonas laterales altas, porque debía tener formato rectangular. El tema es inmensamente popular en el siglo y la presencia del mismo donante en el espacio sagrado es señal del intento de involucrarlo en el dolor de Jesús y María.

ROGER VAN DER WEYDEN
La Virgen y el Niño
(N.° cat. 2722)

Llamada "Virgen Durán", por haber pertenecido a Pedro Fernández-Durán hasta que éste la legó al museo con el resto de su colección en 1931. Aunque no está documentada, la crítica la considera autógrafa e importante, en tanto que supone un cambio respecto a los tipos de Robert Campin y se constituye en modelo de otras posteriores, sobre todo las del llamado Maestro del Follaje Bordado, si bien casi ninguna resulta tan plástica, porque suele ubicarse en un paisaje exterior. También debió ser apreciada en España, donde se detecta su reflejo en la pintura castellana de la segunda mitad del siglo XV. A Weyden le gusta destacar plásticamente las formas pintadas sobre un fondo oscuro y enmarcarlas en una tracería que aumenta la impresión de que nos encontramos ante una escultura. Con el color rojo del manto de María no se pretende sólo un efecto estético (también se le ha llamado "Virgen en rojo" por ello), sino que estamos ante un anuncio premonitorio del futuro sacrificio de Jesús. El ángel que se dispone a coronar a la Virgen proviene de Jan van Eyck y pretende recalcar su papel de Reina de los Cielos. Hace años sufrió una agresión que, por fortuna, la afectó poco, y pudo restaurarse sin mayores problemas.

Anónimo seguidor brujense
de van der Weyden
Crucifixión
(N.° cat. 1886)

Pequeña tabla de excelente calidad inspirada en un original de Weyden. Se creía suya en el siglo XIX, aunque anteriormente se atribuía a Durero, de quien lleva la firma apócrifa con la fecha de 1513. Hoy se supone obra de alguien que sigue la huella del maestro, pero ya a comienzos del siglo XVI. No debe considerarse una rareza la firma del artista alemán, porque gozó siempre de un gran predicamento. La pintura es muy delicada cromáticamente y está realizada con sumo detalle. Los tipos corresponden a Weyden, tanto el grupo de Juan y la Virgen, como Magdalena, que se copia casi exactamente de la que forma parte del *Descendimiento* del museo. Tal vez se resienta la obra de estar constituida de partes que no acaban de integrarse en una nueva unidad compositiva, porque proceden de lugares diversos.

HANS MEMLING
La Virgen y el Niño
(N.° cat. 2543)

Memling pertenece a la última generación de pintores del siglo XV y protagoniza cierto cambio en la medida en que suaviza y hace gratos los tipos creados por las generaciones anteriores, de manera que obtiene resultados que satisfacen a públicos muy amplios seducidos por el encanto que transmite a sus personajes. Pese a ello, se le ha tachado de inexpresivo y poco dotado para las emociones mayores o los asuntos dramáticos que entonces se exigían a los artistas. La pequeña tabla del Prado, un poco olvidada hasta hace poco tiempo, ha sido revalorizada a partir de la gran exposición realizada en Brujas con motivo del centenario de su muerte. Está dentro de un grupo de imágenes de María y el Niño con ángeles músicos o que juguetean con Él. El tipo de Virgen depende de Weyden. Igualmente delicados y exquisitos son el paisaje del fondo y el prado del primer término que evoca el *locus amœnus* de la literatura medieval. Se data hacia 1480, etapa de madurez del artista, y es original, aunque ha sufrido pequeños deterioros. Es una muestra excelente del mundo que deseó crear para satisfacer a una clientela que lo aceptó plenamente.

HANS MEMLING. Tríptico:
Nacimiento, Epifanía, Presentación en el Templo (N.° cat. 1557)

Obra maestra del artista que ahora se fecha h. 1470. Esto quiere decir que sería nueve años anterior al Tríptico Floreins (Hospital de San Juan, Brujas) encargado por este personaje para un altar lateral de la iglesia del hospital y que repite en lo esencial el esquema compositivo e iconográfico. Es muy significativo del modo de trabajar del pintor. La tabla central se inspira directamente —sobre todo en el grupo de la Virgen, el Niño y el rey arrodillado a sus pies— en el *Tríptico Columba* de Weyden, del mismo modo que en la Virgen y Niño del lateral izquierdo el modelo está en la tabla central del *Tríptico Bladellin* del mismo artista. Esto indica que la originalidad en este sentido no preocupaba a Memling y que su referencia preferida fue Weyden. Por otro lado, la composición espacial resulta muy interesante si tenemos en

cuenta que es la misma para la tabla central y la lateral izquierda, mientras que es completamente independiente la del ala derecha. Se ha dicho que el grupo de acompañantes del rey negro se inspira en el mismo tema pintado por Esteban Lochner de Colonia (catedral). No se debe olvidar que Memling proviene de Alemania, aunque trabaje esencialmente en Brujas. Hay que recordar que es la primera vez que en la pintura flamenca el tercer rey es negro y que ello se convertirá en algo común en adelante, pero que ya se pintó así antes, de manera esporádica, precisamente en el mundo germánico. El hecho de que repitiera de modo bastante fiel casi todo el tríptico en el de menor tamaño encargado por Jan Floreins también es indicativo de un cierto modo artesanal de trabajo. El tríptico, posiblemente ya en España h. 1500, perteneció al emperador Carlos V y estuvo en el castillo de Aceca próximo a Villaseca de la Sagra (Toledo).

MAESTRO DE LA LEYENDA DE SANTA CATALINA (?)
Crucifixión (N.° cat. 2663)

El catálogo del museo suele seguir clasificando esta tabla como de un discípulo de Roger van der Weyden, lo cual es cierto casi con seguridad. Pero, como supone E. Bermejo, todo apunta a que ese discípulo sea el Maestro de la Leyenda de Santa Catalina. Habría que recordar que muchos suponen que el anónimo artista es identificable con Pieter van der Weyden, hijo de Roger. De él sabemos que nace en 1437, se forma en el taller paterno y acaba estableciéndose por cuenta propia después de que su padre desaparezca, viviendo hasta 1510. En torno a esta figura interesante pero secundaria, sea o no el hijo de Roger, se han agrupado bastantes pinturas de evidente calidad, donde la huella rogeriana es rotunda, si bien se utilizan ciertos modelos que son personales en sus rasgos aunque como tipos dependan de ella. En esta ocasión en parte de la tabla se copia con detalle la Crucifixión del tríptico del Museo de Viena, mientras que las tres mujeres de la derecha suponen una novedad y responden a lo que sabemos más personal del Maestro de la Leyenda de Santa Catalina.

Sala 57 a (LVII a)

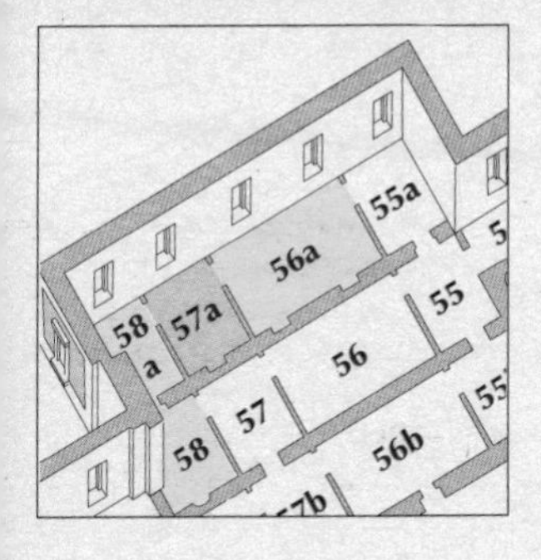

GERARD DAVID
La Virgen y el Niño

GERARD DAVID
Descanso en la huida a Egipto

GERARD DAVID.
La Virgen y el Niño
(N.° cat. 1537)

David es el último de los grandes flamencos de tradición tardogótica, aunque conociendo algo del repertorio formal renacentista. De origen holandés, nace en Oudewater h. 1450-1460, pero se desplaza a Brujas, donde se le reconoce la maestría en 1484. Reside casi constantemente allí hasta su muerte en 1523. Tuvo éxito y taller amplio, por lo que aún hoy existe un nutrido catálogo de su pintura. Su arte fue amable, sin la nítida precisión de sus antecesores, debido al uso de un cierto *sfumato* en sus obras avanzadas similar al de un Isenbrandt. Repitió determinados tipos de Virgen y Niño que se convierten en algo parecido a iconos debido a su éxito. El que ahora nos ocupa es dudoso y no figura en el último catálogo que se le ha dedicado. Esto no impide que posea parte de su manera de hacer. Se conservó en El Escorial hasta 1839.

GERARD DAVID
Descanso en la huida a Egipto
(N.° cat. 2643)

Además de la pintura del Prado se conservan otras tablas con la misma historia y variantes en sus planteamientos. Dos de ellas pueden ser réplica (Metropolitan, N. York) y copia (Mus. Amberes) de la nuestra, mientras que otra bella pintura de la National Gallery de Washington presenta ciertas variantes. Se supone que es tardía, pintada h. 1515. Utilizando sólo de un modo vago o general los evangelios apócrifos o, mejor, las historias que de ellos derivan, presenta dos momentos. Al fondo, saliendo del bosque, se ve la misma Huida, con María y

el Niño sobre un asno y José tras ellos, andando. Pero el asunto principal se presenta en primer plano, con la Virgen de la Leche sentada y dando el pecho al Niño. Es una figura encantadora que deriva de modelos eyckianos. El paisaje constituye quizás la parte más bella de la pintura, su auténtico protagonista. A la izquierda se ve una ciudad, seguramente aquella de Egipto donde se entiende que debía terminar el viaje. Sería difícil descubrir en la obra detalles que nos indicaran cuando menos que David fue sensible al Renacimiento.

Sala 56 a (LVI a)

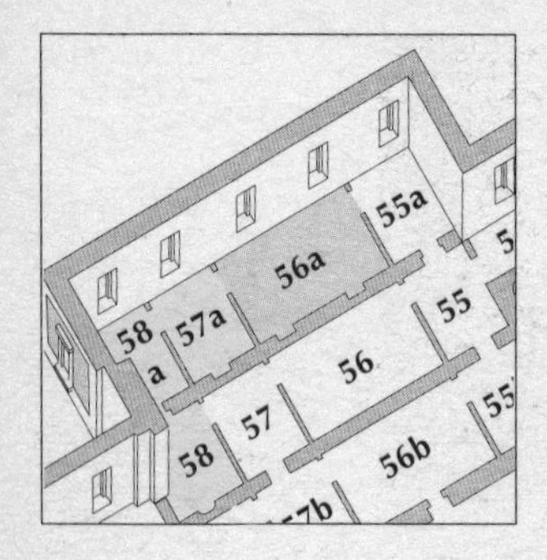

Hieronymus van Aeken, El Bosco
Tentaciones de San Antonio Abad

Hieronymus van Aeken, El Bosco
Tentaciones de San Antonio

Hieronymus van Aeken, El Bosco
Tríptico:
El Jardín de las Delicias

Hieronymus van Aeken, El Bosco (taller)
Ballestero

Hieronymus van aeken, El Bosco
Los pecados capitales

Hieronymus van Aeken, El Bosco
Extracción de la piedra de la locura

Hieronymus van Aeken, El Bosco
Tríptico:
Adoración de los Magos

Hieronymus van Aeken, El Bosco
Tríptico:
El Carro del Heno

HIERONYMUS VAN AEKEN, EL BOSCO (¿copia?)
Tentaciones de San Antonio Abad
(N.° cat. 2913)

Por lo general no figura en los catálogos del pintor, donde ni siquiera llega a mencionarse. Algunos la creen copia de un original perdido. Al menos se conserva otro ejemplar, en el Rijksmuseum de Amsterdam, de mucha menor calidad. El santo, en primer término, apoyado sobre una mesa parece meditar, pero a su derecha surge una extraña construcción híbrida. La cabeza es la de una anciana alcahueta, como se ve en otras ocasiones. La muchacha desnuda a la puerta es la eterna tentadora, mientras que con el signo del cisne como enseña se alude a una casa de prostitución. Diversos signos característicamente bosquianos surgen por todas partes. Es obra de bastante calidad, al punto de que incluso hay quien la cree original, mientras que la mayoría piensa en una copia casi contemporánea.

HIERONYMUS VAN AEKEN,
EL BOSCO
Tentaciones de San Antonio
(N.° cat. 2049)

Obra madura e indiscutible del maestro, fechada en un momento tardío próximo a 1510, está realizada con un cuidado poco frecuente, alcanzando niveles altos de virtuosismo técnico en la figura del santo y en el cromatismo general obtenido con el uso de diversos tonos verdes y terrosos delicadamente matizados. Sorprende la actitud quieta del monje, meditando, envuelto en un hábito propio en el que se ve la T de la orden de San Antonio. A su lado, el cerdo con la campanilla, uno de sus signos normales de identidad. Quizás en vez de *Tentaciones* habría que llamarlo tan sólo "San Antonio", porque, aunque se adivina el inicio de asechanzas por la distribución de elementos inquietantes, incluso por la aparición de esa cabeza y mano con garra que surge de las aguas quietas como si tratara de asustar o agredir al ermitaño, todo respira todavía tranquilidad, no exenta de un principio de soterrada tensión. El paisaje ameno, con corrientes de agua, habitáculos para los monjes, tapices de verde hierba y arbolado, con un fondo de ciudad, está muy lejos de la árida tierra habitada por el verdadero asceta, pero será la manera común de presentarlo hasta fechas muy avanzadas.

HIERONYMUS VAN AEKEN, EL BOSCO
Tríptico: **El Jardín de las Delicias** (N.° cat. 2823)

Una de las obras más extraordinarias y fantásticas, al tiempo que más misteriosas, de la historia del arte. Pocas entre ellas han dado lugar a explicaciones tan contradictorias, imaginativas y disparatadas, mientras que a ningún espectador, ni aun casual, ha dejado indiferente. Sin embargo, casi nada sabemos de ella a través de documentación de época. ¿Cuál fue su nombre en origen? Cuando llega a El Escorial se dice que es "una pintura de

la variedad del mundo" y el padre Sigüenza se limita a citarlo como el cuadro "de las fresas". Depende de quién queramos que sea el Bosco el que pretendamos una explicación u otra. Si seguimos a Felipe II o al padre jerónimo que describe El Escorial y considera tan positivamente al artista, José Sigüenza, la idea general está relativamente clara. Cerrado, se contempla una visión del universo creado por Dios (de pequeño tamaño, a la izquierda, en alto). Unos versículos de los Salmos son claros: "Ipse dixit et facta sunt. Ipse mandavit et creata sunt." (Él mismo lo dijo y todo fue hecho. Él mismo lo ordenó y todo fue creado.) Estamos ante el tercer día. Es entonces cuando surge el paraíso terrenal. Pero, terminada la creación, en el ala izquierda se ve el paraíso terrenal con su definitivo final: Adán y Eva. El anuncio de la aparición del pecado se percibe a través de seres monstruosos y agresivos que parecen romper la armonía impuesta por el

Creador. También se adivina al diablo en la roca antropomórfica sobre la que se asienta el árbol del pecado, a la derecha, tal como nos lo cuenta Jean de Mandeville, el falso viajero del siglo XIV, cuyo texto tuvo un éxito enorme y sin duda se conocía en s'Hertogenbosch. Es algo tan sorprendente que Dalí se inspiró en tal figura a la hora de crear esa forma extraña que aparece en varias pinturas, singularmente el Gran Masturbador. La tabla central describe al hombre que descubre todos los placeres, singularmente los carnales, y se deja atrapar gozoso en ellos. Es el centro de atención de la obra, donde se despliega un mundo de fantasía humana, animal, vegetal y aun inanimada, poblado de grupos desnudos en situaciones que no permiten ni la ambigüedad, tan claros son, arquitecturas fantásticas que reproducen en enorme tamaño lo que entendemos mejor en otro más pequeño, o frutos carnosos y suculentos que alcanzan dimensiones superiores a la altura de los hombres. De muchas fuentes bebió el Bosco antes de que cristalizara este mundo tan extraño, pero nunca copió nada sino que sometió sus modelos a una transformación que los hace casi irreconocibles. A consecuencia del engolfamiento en este ambiente, a la derecha, estos humanos se condenarán en el Infierno, lugar fantástico, apoteosis de la belleza del mal, centrado en el ser más ambigüo nunca concebido por él. Pero ¿es así de sencillo? Incluso en el caso de que lo fuera, el mundo de imágenes, símbolos y formas que en esa zona central se ha creado no tiene parangón y, desde luego, en él nada es gratuito o simplemente decorativo. Es aquí donde se pone de manifiesto tanto la cultura figurativa del artista y su posible mentor, que recurren a la literatura, los manuscritos ilustrados, la pintura, la escultura marginal, etc., como la capacidad creadora del primero que, a partir de todo ello, concibe un universo particular que fascinará a generaciones de artistas futuros.

HIERONYMUS VAN AEKEN, EL BOSCO (TALLER)
Ballestero (N.° cat. 2695)

Se trata de una pequeña tabla con una cabeza humana que presenta ciertas semejanzas con alguno de los sayones que asedian a Jesucristo en diversas Coronaciones de Espinas. Es un tema que trató el artista al final de su vida, siendo magistrales los ejemplares conservados en la National Gallery de Londres y el museo del monasterio de San Lorenzo de El Escorial. Aunque los catálogos del Prado lo hayan considerado siempre como original, en general se cree que sea copia de taller, incluso posterior a esa posibilidad, como otras piezas similares que circulan en museos y colecciones. También la Coronación de Espinas fue objeto de diversas réplicas algunas conservadas en España.

HIERONYMUS VAN AEKEN, EL BOSCO
Los pecados capitales (N.° cat. 2822)

Aunque durante largo tiempo se consideró obra primeriza, hoy se piensa que pudo ser realizada en la etapa media, cerca de 1500. La diferencia de calidad entre unas zonas y otras podría indicar la colaboración del taller, por ejemplo en los círculos con los Novísimos. La idea principal se expresa a través del ojo de Dios, cuyo centro ocupa una imagen de Cristo sobre fondo azul. Una inscripción explica: "Cave, cave, Dominus videt" ("Vigila, vigila, Dios lo ve"). En torno a ese ojo, un anillo circular se divide en siete superficies ocupadas por escenas que explicitan cada uno de los pecados capitales. Es al que comete esos pecados a quien Dios controla. Con versos del Deuteronomio se le advierte que no pueden olvidar las Postrimerías: Muerte, Juicio, Infierno y Gloria. Cada una de las cuatro ocupa uno de los círculos de las esquinas. Esta geométrica composición y algún texto antiguo han llegado a convencer a muchos de que estamos ante una mesa, pero existen igualmente razones para suponer que no es así, sino que se trata de una tabla rectangular, para ser colgada sobre un muro, ofreciendo una meditación al cristiano. En este sentido debió utilizarla Felipe II, que la poseyó y ordenó que se trasladara en 1574 a sus habitaciones particulares en el monasterio de San Lorenzo de El Escorial que por entonces construía. El modo de ejemplificar cada uno de los pecados es infrecuente hasta entonces, tanto por su disposición en el anillo circular, como por elegir escenas de la vida cotidiana en vez de recurrir a personalizaciones de conceptos y lenguajes metafóricos. Pero existen desde principios del siglo XV otras obras como ésta. Destaquemos la sutileza de la Envidia, la recreación de un espacio lúdico en la Lujuria o el reflejo de la realidad en la administración de justicia en la Avaricia.

Hieronymus van Aeken, El Bosco
Extracción de la piedra de la locura
(N.° cat. 2056)

Se cree obra de la primera etapa del Bosco (h. 1475-1480). Pertenece a un grupo de pinturas y grabados claramente satíricos y burlescos que por entonces se hacen en los Países Bajos. Un letrero en letras góticas dice, traducido: "Saca fuera la piedra, mi nombre es Lubbert das". Parece que el supuesto nombre se puede traducir por "bajito castrado", pero al mismo tiempo se utiliza en Flandes para referirse a una persona simple. La operación se hace ante escasos espectadores. El falso doctor, tocado con un embudo, extrae la piedra de la cabeza de un individuo mayor y grueso que mira hacia nosotros. Un fraile parece participar con gestos en el acto, mientras una vieja que sostiene un libro en la cabeza contempla todo con aire de hastío. No existen dudas sobre la autoría. Perteneció a Felipe de Guevara, el gran coleccionista y diplomático, y a su muerte fue adquirido en la almoneda de sus bienes por Felipe II. Es una historia que se presta a la burla y a la crítica que tiene un cierto éxito en el norte de Europa desde el siglo xv.

HIERONYMUS VAN AEKEN, EL BOSCO
Tríptico: **Adoración de los Magos** (N.° cat. 2048)

Quizás estemos ante la obra más bella y refinada de todas las pintadas por el Bosco, aunque otras, como *El Jardín de las Delicias,* la superen en imaginación y complejidad iconográfica. Pocas veces la forma se ha cuidado como aquí, en los efectos de joya logrados en cada uno de los objetos portados por los reyes, en la delicadeza tonal del amplio paisaje del fondo, resaltado al utilizar para ello un punto de vista extremadamente alto, que en absoluto concuerda con el elegido para los personajes que componen la historia, o en las calidades obtenidas en las telas suntuosas. Aunque el título no lo sugiera, se trata de un

tríptico muy rico en contenido simbólico. Si por un lado la Epifanía es una manifestación del carácter divino del Niño, a través de diversas imágenes tipológicas apenas visibles, tanto se indica su anuncio en el Antiguo Testamento, como se preludia la futura Pasión. Así, en la extraña pieza que viste sobre los hombros el segundo rey se ve el encuentro de Salomón con la reina de Saba, tema tipológico, donde el Antiguo Testamento prefigura al Nuevo, común por entonces en la difundida *Biblia Pauperum.* Sin embargo, en una de las coronas depositadas en el suelo la historia es el sacrificio de Isaac, que anuncia la muerte de Cristo. Este aviso se refuerza con la lectura del tríptico cerrado, donde una Misa de San Gregorio se completa con un escenario fantástico casi monocromo con un ciclo de la Pasión. Este mundo coherente parece quebrarse con ese extraño personaje que asoma tras los reyes, en apariencia coronado y medio desnudo, que mira con insistencia lo que sucede ante él y para el que se han buscado diversas identificaciones. Tal vez sea el Anticristo que se anuncia para tiempos futuros (incluso en determinados círculos alguien lo veía en el presente de los Países Bajos de entonces) y que se contrapone al Niño, al tiempo que lleva un tocado que recuerda una corona de espinas, como corresponde a quien será contrahechura de Jesús. La compleja Epifanía se convierte en una escena de género con el complemento de José que, desaparecido de la tabla central, se ha desplazado a la izquierda donde se encuentra secando los pañales del Niño. Esto, en vez de considerarse un detalle progresista, es un signo de la poca importancia que se le daba entonces, pese a que todo cambiará en breve tiempo. La actitud de los pastores sobrepasa la mera curiosidad ante la presencia de los poderosos reyes, hasta convertirse en un hecho inquietante.

Los escudos han permitido identificar a los donantes, retratados en los laterales acompañados de sus patronos, Pedro e Inés. Está firmado ostensiblemente. Se cree de h. 1510, fecha avanzada en la producción del artista.

HIERONYMUS VAN AEKEN, EL BOSCO Tríptico:
El Carro del Heno (N.° cat. 2052)

Es una de las pinturas más conocidas de El Bosco. Sin embargo, es de deficiente calidad, pese a lo cual se cree autógrafo, achacando las desigualdades a restauraciones y deterioros. Una copia técnicamente bastante inferior se guarda en El Escorial. Todos están de acuerdo en que el punto de partida está en un versículo de Isaías (40, 6-7): "Toda carne es como el heno y todo esplendor como la flor de los campos. El heno se seca, la flor se cae", aunque más directamente El Bosco o su mentor utilizaran algún proverbio flamenco de sentido similar. Cerrado, el tríptico presenta a un personaje desastrado, anciano y melancólico, que recorre un sendero a cuya vera se perciben diversas atrocidades. Es el peregrino que discurre por el camino de la vida y, tal vez, se inspire en el *Pélerinage de la vie humaine* de Guillaume Deguilleville, obra que gozó de gran popularidad y fue ilustrada en varias ocasiones por entonces. Abierto, presenta el clásico esquema tripartito, de modo que se inicia con la Creación, el pecado con la caída, y la expulsión del Paraíso. Continúa con el carro de heno al que siguen todos y concluye con el infierno, donde se castiga a los pecadores. El centro de atención está en el carro de heno. Es gigantesco y está completamente lleno. Tiran de él numerosos seres monstruosos, significativamente, mientras le siguen todos los

seres de la tierra, encabezados por Papa y Emperador. Encima, una especie de "jardín del amor" flanqueado por ángel y diablo, mirando el primero al rompimiento de gloria de donde surge de media figura el Cristo del Juicio, y participando el otro en el juego musical y sexual que se adivina. En la zona inferior se multiplican las escenas donde se cometen varios pecados capitales (el de la parte superior es la lujuria). Alguno se presenta de manera especialmente llamativa y aun curiosa, y se emplea el heno como signo de vanidad y algo efímero, pero atractivo.

Otras pinturas flamencas fuera del Prado

Es difícil, al tratarse de tantos artistas, mencionar siquiera sea sus obras más destacadas fuera del museo. Nos referiremos a aquellas que son verdaderamente relevantes o que, importantes, se conservan en colecciones, iglesias o museos españoles.

La obra de Jan van Eyck es relativamente reducida. La más famosa, iniciada por su hermano Humberto, es el *Políptico del Cordero* de San Bavón de Gante. Entre sus retratos en ámbitos religiosos, *La Virgen y el Canciller Rolin* (Louvre), *La Virgen y el canónigo van der Paele* (Mus. Brujas) y *Tríptico de Dresde*. Simples retratos: *Matrimonio Arnolfini* (N. Gallery, Londres), *Cardenal Albergatti* (Mus. Viena), *Hombre del turbante* (N. Gallery, Londres). Religiosas: *Anunciación* (Mus. Thyssen, Madrid), *Santa Bárbara* (Mus. Real, Bruselas). Las fuentes hablan de pinturas en su momento famosas que han desaparecido, como un *San Jorge* que fue de Alfonso V el Magnánimo y un *Mapamundi* que causó asombro.

De Robert Campin, supuesto Maestro de Flémalle, el catálogo es aún más corto, sobre todo desde que se ha puesto en cuestión que sea suyo el *Tríptico de Mérode* (Cloisters, N. York). Más antiguas: *Tríptico Seilern* (Courtauld Institute, Londres), *Virgen, Santa Verónica y Trinidad* (Instituto Städel, Francfort). Más avanzada: *Natividad* (Mus. Dijon). retratos de hombre y dama (N. Gallery, Londres) y de hombre (Mus. Thyssen, Madrid). El único caso de un trabajo documentado es el de los restos de policromía de la *Anunciación* del escultor Jean Delemer en la catedral de Tournai.

De Roger van der Weyden se discute el catálogo. Se ha puesto en cuestión la autoría de dos famosos trípticos casi iguales: *Miraflores* (Mus. Berlín) y de *Granada* (Capilla Real de Granada y Metropolitan Mus., N. York), aunque la crítica en este momento sólo la acepta para el *Mira-*

flores. Obras religiosas: *Crucifixión* (Mon. El Escorial), *Tríptico Columba* con la Epifanía (Mus. Munich), *Tríptico de los Siete Sacramentos* (Mus. Bruselas), *Llanto por Cristo muerto* (Ufizzi, Florencia), *Díptico de la Crucifixión* (Col. Johnson, Filadelfia), *Virgen* (Mus. Thyssen, Madrid), *Retablo de Pierre Bladellin* (Mus. Berlín). Retratos: *Antonio, el Gran Bastardo* (Mus. Real, Bruselas), *Dama desconocida* (N. Gallery, Washington). Obra más extensa: *Políptico del Juicio Final* (Hospital de Beaune). Obra perdida más famosa: *Justicia de Trajano y de Herkenbald* (Ayuntamiento, Bruselas).
De Petrus Christus se mantiene desde tiempo atrás casi el mismo catálogo. Retratos: *Cartujo* (Metropolitan Mus., N. York), *Joven desconocido* (N. Gallery, Londres). Obras religiosas: *San Eloy* (Metropolitan Mus., N. York), *Virgen con árbol* (Mus. Thyssen, Madrid), *Lamentación sobre Cristo muerto* (Mus. Real, Bruselas).
De Dieric Bouts las dos obras más famosas son el *Tríptico de la Santa Cena* de la catedral de Lovaina y las dos grandes tablas de la "Justicia del emperador Otón" (Mus. Real, Bruselas), acabada una por sus discípulos. Injustamente casi desconocido es el espléndido *Tríptico del Descendimiento* de la Capilla Real de Granada. Otras obras destacadas: *Virgen y Niño y ángeles* (Capilla Real, Granada), *Condenados* y *Elegidos* (alas de un tríptico del que se ha perdido el *Juicio Final* del centro, Mus. Lille), *Entierro* (sarga) (N. Gallery, Londres), *Tríptico de la Epifanía,* la "Perla de Brabante" (Mus. Munich).
De Vrancke van der Stockt, el seguidor de Weyden, el *Juicio Final* (Ayto. de Valencia), la excelente tabla de la *Presentación en el Templo* (Mon. El Escorial) o el *Llanto sobre Cristo muerto* (Mus. M. van der Bergh, Amberes). Del Maestro de la Leyenda de Santa Catalina, las tablas con la historia de esta santa que le dan nombre (col. privada, Ginebra) y el *Retablo de Job* (Mus. Wallraf-Richartz, Colonia). Hans Memling debió realizar una obra muy extensa de la

que se conserva aún una amplia producción que recientemente trata de depurarse, quizás con criterios extremadamente restrictivos. La obra más popular, aunque no la mejor, es el *Relicario de Santa Úrsula* (Hospital de San Juan, Brujas). De los grandes trípticos, el del *Juicio Final* (Mus. Pomorskie, Gdansk), el del *Matrimonio místico de Santa Catalina* (Hospital de San Juan, Brujas) o el *Donne* (N. Gallery, Londres). Otras pinturas en díptico o de tabla única: *Díptico del Descendimiento* de Granada (Capilla Real), *Cristo atado a la columna* (Col. Mateu, Barcelona), los *Siete Gozos de María* (Pinacoteca, Munich), la *Pasión* (Gal. Sabauda, Turín). Retratos: *Díptico de Maarten van Nieuwenhove* (con la Virgen) (Hospital de San Juan, Brujas), *Retrato de Joven desconocido* (Mus. Thyssen, Madrid), *Hombre con moneda* (Mus. Amberes).
La obra de Gerard David es abundante e incluso se cree que se extiende al terreno del libro iluminado. Entre lo más destacado: *Crucifixión* (Mus. Berlín), *Epifanía* (Pinacoteca, Munich), *Retablo del Bautismo de Cristo* (Mus. Groninge, Brujas), *Matrimonio místico de Santa Catalina* (N. Gallery, Londres). Un lugar especial ocupa su díptico sobre *El juez corrompido, castigado* (Mus. Groninge, Brujas), en la línea de las obras de Weyden y Bouts.
Por el contrario, el catálogo del Bosco es más corto y algunas de sus pinturas más destacadas están en el Prado. Entre lo que se conserva en España fuera del museo: la *Coronación de espinas* (El Escorial), *San Juan Bautista* (Mus. Lázaro Galdiano, Madrid) y *Camino del Calvario* (Palacio Real, Madrid). Comparable a lo mejor, las *Tentaciones de San Antonio* del Museo de Lisboa. Es importante la colección del Palacio Ducal de Venecia, con el *Tríptico de los ermitaños* y las cuatro tablas sobre condenados y bienaventurados. Entre las obras restantes: *Coronación de espinas* (N. Gallery, Londres), *Camino del Calvario* (Mus. Gante), el mal llamado *Hijo pródigo* (Mus. Boymans, Rotterdam).

Cronología básica

1404: Muere Felipe el Atrevido, duque de Borgoña, y le sucede Juan Sin Miedo.

1419: Es asesinado Juan Sin Miedo y Felipe el Bueno es nombrado duque de Borgoña.

1425: Jan van Eyck entra al servicio de Felipe el Bueno.

1427: Rogelet de la Pasture (Roger van der Weyden) comienza su aprendizaje en el taller de Robert Campin

1428: Una embajada borgoñona en la que figura van Eyck sale camino de Portugal para tratar del matrimonio de Felipe con Isabel de Portugal.

1432: Jan van Eyck termina el *Políptico del Cordero* de Gante iniciado por su hermano Humberto.

1435: Van der Weyden se establece en Bruselas, donde al año siguiente será nombrado pintor oficial de la ciudad.

1441: Muere en Brujas Jan van Eyck.

1444: Muere en Tournai Robert Campin, supuesto Maestro de Flémalle.

1444: Petrus Christus, ciudadano de Brujas.

1450: Nace Hieronymus van Aeken, el Bosco.

1464: Muere van der Weyden.

1464: Dieric o Thierry Bouts contrata un *Tríptico de la Sagrada Cena* para San Pedro de Lovaina.

1465: Hans Memling, de origen germánico, se registra como ciudadano de Brujas.

1467: Muere Felipe el Bueno y le sucede Carlos el Temerario.

1468: Bouts, pintor oficial de la villa de Lovaina.

1469: Nace Erasmo de Rotterdam

1473: Memling envía un gran *Tríptico del Juicio Final*

a Angelo Tani, pero es capturado el barco en el que iba por corsarios al servicio de Dantzig o Gdansk.

1475: Muere Bouts dejando inacabada la segunda tabla de la "Justicia del emperador Otón".

1477: Carlos el Temerario muere en la batalla de Nancy y se desintegra el ducado de Borgoña. Su hija, María de Borgoña, casada con Maximiliano, hereda los Países Bajos.

1478: Hugo van der Goes se retira al Rouge-Cloître de Auderghem.

1489: Memling concluye el *Relicario de Santa Úrsula* para el Hospital de San Juan en Brujas.

1494: Sebastián Brant publica *Das Narrenschiff* (La Nave de los Locos) con abundantes grabados.

1495: Matrimonio de Margarita de Austria y Felipe el Hermoso, hijos del emperador Maximiliano, con Juan y Juana la Loca, hijos de los Reyes Católicos.

1504: Pagos al Bosco por un *Juicio Final* encargado por Felipe el Hermoso.

Bibliografía

Obras generales

Friedlander, M.: *Early Netherlandish painting,* Leyden y Bruselas, 1967-1976, 14 vols.

Panofsky, E.: *Early Netherlandish painting,* Cambridge (Mass.), 1953, 2 vols. (hay trad. francesa: París, 1992).

Philippot, P.: *La peinture dans les anciens Pays- Bas, XV-XVIe. siécles,* París, 1994.

Pächt, O.: *Altniederländische Malerei,* Munich, 1994.

A.A.V.V.: *Les primitifs flamands et leur temps,* Lovaina la Nueva, 1994.

Châtelet, A.: *Les primitifs hollandais,* Friburgo, 1980.

Lane, B.G.: *The altar and the alterpiece. Sacramental themes in early netherlandish painting,* Nueva York, 1984.

Campbell, L.: "The art market in the Southern Netherlands in the fifteenth century", en *Burlington Magazine,* CXVIII (1968), pp. 186 ss.

Monografías de artistas

Dhanens, E.: *Hubert et Jan van Eyck,* Amberes, 1980.

Yarza Luaces, J.: *Jan van Eyck,* Madrid, 1993.

Pächt, O.: *Van Eyck and the Founders of Early Netherlandish Painting,* Londres, 1994.

Châtelet, A.: *L'atelier de Robert Campin,* en *Les Grandes siécles de Tournai,* Tournai-Lovaina, 1993, pp. 13-40.

Châtelet, André, *Robert Campin, le Maître de Flémalle,* Amberes, 1996.

Davies, M.: *Rogier van der Weyden,* Londres, 1972.

Rogier van der Weyden-Roger de la Pasture, peintre officiel de la ville de Bruxelles, Exposición, Bruselas, 1979.

De Vos, D.: *Rogier van der Weyden,* Amberes-París, 1999.

Dieric Bouts, Bruselas, 1957.

Smeyers, Maurits, *Dirk Bouts,* Tournai, 1998

De Vos, D.: *Hans Memling. L'oeuvre complete*, Amberes, 1994.

De Vos *et al.*: *Hans Memling, Catalogue*, Brujas y Amberes, 1994.

De Vos (ed.): *Hans Memling, Essays*, Brujas, 1994.

Upton, J.: *Petrus Christus. His place in fifteenth century flemish painting*, University Park y Londres, 1990.

Van Miegroet, H.J.: *Gerard David*, Amberes-París, 1990.

Tolnay, Ch. de: *Jérome Bosch. L'oeuvre complète*, París, 1989 (1937).

Gibson, W.S.: *El Bosco*, Barcelona, 1993.

Bango, I., Marías, F.: *Bosch. Realidad, símbolo y fantasía*, Madrid, 1982.

Marijnissen, R. *et. al.*: *Iheronimus Bosch*, Bruselas, 1972.

Yarza Luaces, J.: *Los pecados capitales del Bosco*, en *Obras maestras del Museo del Prado*, Madrid, 1996, pp. 87-103.

Yarza Luaces, J., *El Jardín de las Delicias de El Bosco*, Madrid 1998.

Información General del Museo del Prado

EDIFICIO VILLANUEVA

Pº del Prado, s/n.
28014 Madrid.
Tlf.:
91 330.28.00
Fax:
91 330.28.56
Teléfono de Información:
91 330.29.00
Acceso para minusválidos

HORARIO

Martes a Sábados:
9:00 a 19:00
Domingos y festivos:
9:00 a 14:00
Lunes:
Cerrado

PRECIO DE ENTRADA

Tarifa General *3 euros*

Titulares carné joven, estudiantes o sus equivalentes internacionales. Grupos culturales y educativos (previa solicitud) Tlf.: 91 330.28.25 *1,5 euros*

Mayores de 65 años o jubilados. Miembros de la Fundación Amigos del Museo del Prado. Voluntarios culturales y educativos *Gratis*

Para todo el público será gratuita:
Sábados de 14:30 a 19:00 h. *y*
Domingos de 9:00 a 14:00

Cafetería
De Martes a Sábado:
9:30 – 18:30 h.
Domingos y festivos:
9:30 – 13:30 h.

Restaurante
De Martes a Sábado:
9:00 – 18:30 h.

Tiendas
De Martes a Sábado:
9:00 – 18:30 h.
Domingos y festivos:
9:00 – 13:30 h.

CÓMO LLEGAR

Metro:
Atocha, Banco y Retiro
Autobuses: 9, 10, 14, 19, 27, 34, 37, 45.

Desde el aeropuerto:
El autobús que lleva a la Pza. de Colón y a continuación la línea nº 27.

Información General Fundación Amigos del Museo del Prado
Museo del Prado
c/ Ruiz de Alarcón, nº 21 – bajo. 28014 Madrid
Tlf.: 91 420.20.46
Fax.: 91 429.50.20
E-mail: famprado@canaldata.es

Horario de oficina:
De Lunes a Viernes de 9:30 a 14:30 horas.